Cuentos Mexicanos de Terror

CUENTOS MEXICANOS DE TERROR

Editorial Época, S.A. de C.V.
Emperadores No. 185
Col. Portales
03300 México, D.F.

Cuentos mexicanos de terror

© Por Editorial Época, S.A. de C.V.
Emperadores No. 185
03300-México, D.F.
E-mail: edesa@data.net.mx

ISBN-970927209-9

Impreso en México - *Printed in Mexico*

INTRODUCCIÓN

Se dice por ahí que sólo los locos y los muertos no tienen miedo, que las historias relatadas en algunos países acerca de apariciones, demonios, brujas y demás cosas sobrenaturales son elementos creados por la mente para justificar el miedo que les causa lo desconocido; pero, quién sabe si una de estas noches cualquiera de nosotros puede convertirse en uno de aquellos locos que buscan a alguien que les crea; alguien a quien poder relatar aquel sentimiento que los llevó hasta el borde de la realidad. Porque, tanto en México como en todo el mundo, hay tantos relatos como gotas de sangre en las venas y desearíamos nunca presenciar alguna historia como las que presentamos.

El Bebé

¿Te has puesto a pensar por un momento cuán sola y oscura queda la escuela a media noche?; cuando por sus pasillos y salones no hay nada más que el eco de mil risas y gritos rebotando en las paredes. Ahora imagina cómo se veía aquella primaria en Guadalajara, una de las más grandes, con sus dos edificios de tres pisos cada uno y siendo el único testigo de este aterrador relato, el enorme patio de concreto ubicado en medio de estas majestuosas construcciones.

Sólo una barda de tres metros de alto separaban al velador de la escuela y las luces callejeras. El pobre don Epifanio vivía siempre en la oscuridad, acostumbrado a ella paseaba por los salones vacíos cada noche, sin nada más de compañía que una vieja lámpara de mano iluminando su camino, los pupitres, el escritorio, el pizarrón, los gises brillando como fantasmas, una pluma y lápiz tirados por ahí, un libro roto por allá; en fin, la misma escena noche tras noche. Qué escuela tan bella, una de las primeras construidas en la capital de Jalisco.

Nunca pasó nada en los 30 años de servicio del hombre hasta esa noche, la última. Estaba en el segundo piso del edificio A, cuando un ruido extraño interrumpió su recorrido habitual.

–¿Quién anda ahí? –preguntó Epifanio, manteniendo la calma–. No era la primera vez que un niño le habría dejado una broma de recuerdo, mientras se acercaba al 2º "B", el grupo de Carlitos, un travieso niño de no más de 7 años, quien apenas unos días atrás le había dejado un pequeño ratón blanco para que lo asustara durante su paseo habitual.

–Sí, sé que fuiste tú Carlos, ahora sí irás a la Dirección –se repetía mientras se acercaba hasta el salón que yacía más oscuro que su vieja lámpara.

Unos pasos más y se encontraba justo enfrente de la vieja puerta de madera, con el ventanal sucio y rayado. Sin pensarlo dos veces, don Epifanio dio vuelta a la manija, esta vez sabía con lo que se podía topar y nunca en su vida le había tenido miedo a los roedores. La vieja puerta retumbó como si quisiera caerse, y en cuanto su lámpara pasó por delante, pudo mirar que nada fuera de lo normal estaba allí.

Pero aquello no era suficiente, así que decidió revisar uno a uno los pupitres del salón mientras pensaba furioso.

–Ahora sí estás en aprietos Carlos, mira que hacerme perder tanto mi tiempo –pensamiento que se interrumpió con el repetido ruido extraño; esta vez pareció un silbido un tanto rasposo.

–Es el aire –pensó una vez más–. Luego, un aullido terminó por convencerle que algo andaba mal. Decidido, caminó hasta cerciorarse que esta vez de ese salón no provenía aquel extraño sonido. Continuó hasta las escaleras. El primer asalto de temor le llegó al comprobar que el sonido venía del tercer piso. ¿Qué podía estar pasando allá arriba? Como si de algo sirviera, apretó fuertemente su lámpara y subió, esta vez sin tanta prisa. Tenía los dedos blancos de tanto apretar y no era para menos; si a algo le temía don Epifanio era a un asalto; no podía ni imaginarse estar cara a cara con unos maleantes.

–Pero, ¿cómo se pudieron haber metido? –se preguntaba mientras la frente se le llenaba de sudor.

–Quizá los equipos de cómputo es lo que estén buscando –continuaba cuestionándose–. Pero, ¿a quién se le ocurriría buscar computadoras en el tercer piso?

–Y si bajo para llamar a la policía. No podrían tardar más de 10 minutos –seguía pensando mientras sus manos le temblaban.

Antes de bajar, pudo escuchar nuevamente aquel extraño ruido; estaba allí, al final del pasillo. Era no... no... no podía ser posible... ¡pero ahí estaba!, era el llanto de un bebé que provenía del último salón. Cada pelo de don Epifanio se erizó y el viejo comenzó a pensar mil cosas mientras caminaba lentamente hacia ese salón.

–¿Acaso sería un gato herido? O quizá alguien que busque refugio. Pero no era así. Al abrir la puerta, el llanto sonó más claro y el hombre llevó la mano instintivamente hacia la vieja pistola que siempre cargaba por si acaso. Nunca la había usado y tal vez no servía, pero eso no importaba.

Allá, detrás del último pupitre, en el rincón más lejano a la puerta estaba el bulto, nadie más. Esta vez sí estaba convencido, no podría ser otra cosa que un bebé.

–¿Quién lo habría dejado ahí? y, ¿por qué? –se preguntaba mientras lo tomaba en brazos; sus chillidos hacían retumbar el salón.

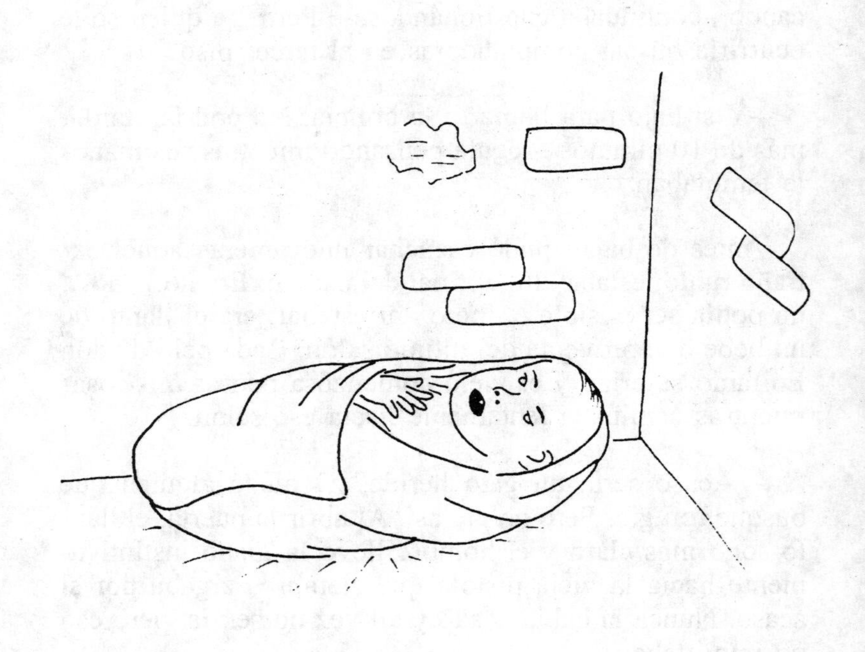

–Debe estar hambriento por la forma en que llora –continuaba pensando don Epifanio.

Cuando le quitó la frazada que cubría su cabeza, el velador ya pensaba en cosas más mundanas, como, ¿qué darle de comer? Fue acaso su último pensamiento racional.

Ahí, iluminada por la lámpara, estaba la cara del maléfico ser, un angelical bebé de no ser por sus ojos rojos y un enorme diente puntiagudo. Lo que sigue ya no pudo relatarlo de manera congruente don Epifanio. Unos dicen que calmadamente el extraño ser le habló, otros que trató de morderlo en el cuello con un rugido salido del mismo infierno. El único que conoce el final de esta historia ya no sabe más de nada. Es un loquito tranquilo y apacible, que pasa sus últimos años en un manicomio de esta misma ciudad y lo único que nos pueden contar las personas cercanas a él es que no tolera que apaguen la luz.

La Hora Macabra

La siguiente historia se desarrolló en las entrañas de nuestra ciudad de México, justo cuando la campana del reloj marcaba las doce de la noche. Aquella casa de la calle Cinco de Mayo había permanecido 20 años deshabitada, aunque para algunos vecinos, en realidad tenía 21 años sin ocuparse. Y no era para más, ya que los sucesos ocurridos en el año de 1980 dejaron huellas en la memoria de todos los moradores.

Cierta mañana de mayo llegaron a habitar la casa marcada con el número 2 una pareja de recién casados; ambos eran muy jóvenes aún, pero se dice que reñían a todo momento. Por las noches, los gritos daban fe de que los cónyuges se golpeaban mutuamente; el motivo era que Antonia se había dado cuenta de la relación amorosa que sostenía su marido con su mejor amiga.

El primer aniversario de su matrimonio estaba próximo y justo ese día, por la mañana, Benjamín salió apenas tocadas las ocho de la mañana. Se vio, como ya era costumbre, con Laura (su amante) en la esquina, y ambos abordaron un taxi que los conduciría a su trabajo; mientras que Antonia no tardó ni quince minutos en asomarse a la calle para aguantar todas las habladurías que se escuchaban en su entorno. La joven era muy callada y sólo tenía una amiga, la vieja Juana, quien día a día trataba de aminorarle su tormento.

–¿Por qué tan temprano? –preguntó la vieja al notar las lágrimas que brotaban de Antonia.

–Creí que por ser nuestro aniversario no se vería con ella –respondió con gran tristeza la bella joven–. Sabe, Juana, hoy también hace dos meses que descubrí su infidelidad.

Ambas mujeres conversaban sobre el calvario sin importarles las miradas indiscretas de los vecinos. Todo parecía normal, a excepción de una pequeña bolsa blanca que celosamente llevaba Antonia entre sus manos. Ella había estudiado para química, pero el matrimonio jamás le permitió ejercer; por el contrario, tenía que quedarse en casa aún sabiendo que su marido se divertía con la que había sido su mejor amiga.

Entró la joven a su casa actuando de manera muy extraña. No dejó pasar a Juana, argumentando que debía preparar la cena. De esta manera pasaron las horas, y a pesar de que llegó la noche, su marido no apareció. Justo cuando el reloj marcaba las doce, Benjamín atravesó el portón de la vieja casona con algunas copas de más. En ese momento Antonia salió a recibirlo, pero la discusión no se hizo esperar.

–¿Estabas con ella, verdad? –reprochaba la pobre mujer con los ojos llenos de lágrimas.

Benjamín, sin pensarlo, golpeó a Antonia, quien se fue a estrellar fuertemente contra la pared. En ese momento cruzó una idea macabra por la cabeza de Antonia.

–¡Te dije que sería la última! –decía con una mirada llena de rabia.

Al dar la media vuelta y subir por las escaleras, Benjamín, furioso, la tomó del brazo y le confesó que sí, en efecto, estaba con ella y que iban a tener el bebé que ella nunca le había podido dar. Aquellas palabras retumbaron con un tremendo eco maléfico.

Nadie sabe con exactitud qué fue lo que pasó aquella noche. Los vecinos sólo recuerdan un grito de dolor y angustia. Después, siendo ya las seis de la mañana hubo un gran alboroto afuera de la casona; como si algo interrumpiera la paz y la armonía entre los vecinos y aquellas viejas calles. El cuerpo desmembrado de Benjamín aún permanecía tirado al pie de las escaleras bañado en sangre. De Antonia sólo se supo que la pobre parecía como desconectada del mundo, como si estuviera en un trance del que nunca pudiera volver, lo cual no pudo ayudar a la policía a descubrir el verdadero motivo de la muerte de Benjamín.

Fue así como esta historia quedó en el olvido.

Pasaron veinte años antes de que alguna familia quisiera volver a habitar aquella casona. Y no era para menos, pues se contaba que por las noches se escuchaban los gritos aterradores de aquel infeliz hombre. Y hasta juraban los vecinos que veían al espíritu paseándose por los jardines. La nueva familia acababa de llegar de provincia. El señor Tomás, jefe de la familia aceptó un empleo en la vieja maquiladora del centro; sus dos hijos, Mónica de 12 años y Juan de 7 se quedaban solos hasta entrada la noche, ya que su madre trabajaba hasta tarde en un hospital.

Durante el primer mes en la casona, Juan no paraba de burlarse de su hermana, quien todas las noches lloraba sin cesar. Ya por la mañana le reservaba unas cuantas bromas para hacerla rabiar.

–Mónica tiene miedo por las noches –decía con regocijo, mientras se preparaban para ir al colegio.

–¡Cállate Juan! –gritó con desesperación la pequeña. Justo en ese momento la bella madre cruzó la puerta.

–¿Qué sucede aquí? –preguntó en tono fuerte al ver que ambos niños se correteaban.

Juan no perdió el tiempo para burlarse de su hermana.

–Es que Mónica tiene miedo.

–¡Cállate! –dijo la pequeña frunciendo el entrecejo.

La madre regañó a su inquieto hijo y prosiguió a preguntar lo que sucedía. Quizá era la presión de no tener a sus padres durante el día y tener que hacerse cargo del travieso de Juan. Fue por eso que trató de referirse a ella en tono suave.

–¿Te sucede algo? –preguntó sin obtener respuesta–. ¿Sabes que quisiera que me contaras lo que te sucede? –continuaba sin respuesta alguna.

En ese momento se escuchó el llamado para que los niños salieran hacia el auto donde ya les aguardaba su padre.

Aquel tema no se volvió a tocar. La madre pensaba que con un regalo la niña se sentiría mejor y de esta manera le compró la muñeca más bonita que pudo encontrar en una tienda. Pero cierta noche, Juan no pudo evitar hacerle caso a su hermana quién permanecía llorando arriba de su cama.

–¿Qué te pasa Mónica? –preguntó el niño al entrar sin permiso a su habitación.

–Nada –respondió Mónica sin parar de llorar–. ¡Vete!

Pero esta vez Juan estaba convencido de que quería saber el motivo por el cual su hermana lloraba noche tras noche.

–Dime, ¿qué te sucede? Ya han pasado meses y tú lloras todas las noches. ¿No te gusta cuidarme?

Mónica miró con ternura a su pequeño hermano.

–Será mejor que te vayas, o mañana no te levantarás.

–Yo siempre me levanto –afirmó el pequeño–. Tú eres la que actúas de una manera extraña últimamente.

–Ya te dije que te vayas –interrumpió ella demasiado molesta.

Juan supo que en realidad Mónica no estaba dispuesta a contarle nada, por lo que mejor se retiró a su cuarto para continuar con el tormento de escuchar a su hermana, quien seguía llorando. A la mañana siguiente, Mónica tomó del brazo a Juan y le dijo:

–¿En verdad quieres saber qué me pasa?

Juan se estremeció por completo con sólo escuchar estas palabras, pero permaneció muy atento. Al terminar

Mónica con su versión, Juan echó a reír de tal manera que ella se molestó.

–Entonces, ¿no me crees?

–Claro que no –continuaba riendo–. Mejor dile a mi madre que ya no quieres cuidarme a seguir inventando tantas cosas.

Mónica desesperada le advirtió que aquella noche lo despertaría justo antes de la media noche y lo invitaría a que fuera a su habitación para que presenciara con sus propios ojos aquella pesadilla que noche a noche tenía que soportar. Juan en cambio no paraba de reír, tomándolo como una simplicidad.

El día pasó de lo más normal y a Mónica no se le iba de la cabeza la idea de llevar a su hermano aquella noche a su habitación.

Siendo las once de la noche se escucharon los pasos de la feliz pareja que regresaba de laborar. Fue entonces cuando Mónica consideró que era el momento oportuno para ir a traer a su hermano. No le costó trabajo levantarlo, pues para ese entonces Juan ya estaba acostumbrado a despertarse gracias al llanto de su hermana. Ambos niños llegaron hasta la amplia cama que daba justo a la ventana y permanecieron en silencio. Pero los minutos pasaron y Juan, derrotado por el cansancio, se entregó al sueño. Pero aquel silencio en que permanecía la habitación se terminó cuando escuchó muy de cerca el llanto de su hermana. Se levantó de inmediato olvidándose de las palabras de su hermana y preguntó mirándola.

–¿Qué te pasa?

Mónica no pudo hablar. En cambio permanecía señalando hacia la ventana. Juan volvió su mirada con incredulidad y fue en ese momento cuando soltó en llanto tan parecido al de su pequeña hermana.

De esta manera pudo mirar la aparición demoniaca que noche a noche atormentaba a la pobre de Mónica. En efecto, justo en aquella ventana estaba un hombre vestido de negro cubriéndose el rostro con la mano. Ambos pequeños lloraron tanto aquella noche, que sus padres no tuvieron más remedio que buscar otro hogar lejos de aquella casona…

Cuentan los vecinos que lo único que pudieron describir con exactitud los pequeños, fueron aquellos enormes ojos rojos y el sombrero de bombín que lucía la espectral aparición. Y es que no había explicación para lo que ocurrió esa y todas las noches anteriores, ya que aquella habitación quedaba exactamente en el segundo piso, de frente a la calle de Cinco de Mayo. Algunos vecinos que pudieron entrar a la propiedad dicen que en aquellas fechas la mancha de sangre donde permaneció Benjamín volvió a aparecer como si éste acabara de morir. Incluso hay quienes afirman que todavía por estos días se pueden escuchar los gritos y lamentos cuando la campana del reloj marca siempre la medianoche, hora en que se cree murió el pobre de Benjamín, que de acuerdo con las versiones y creencias de los vecinos de aquella época, su asesinato sirvió para maldecir el lugar invitando a pasar al mismo demonio.

El Aviso

Hay una carretera que va de Puebla a Veracruz, la cual es oscura y sin visibilidad por las noches, incluso dicen, que cuando llueve, baja tanto la neblina que no permite ver absolutamente nada, ni siquiera los bordes de ésta; y es precisamente este lugar, el sitio donde aconteció la siguiente historia.

El tío de un viejo amigo cuenta esta historia con tal sentimiento que contagia hasta al más duro de corazón; se le llenan de lágrimas los ojos, incluso hay quienes han abandonado la sala antes del final por la pena de verlo llorar.

Pero siempre hay alguien que quiera escuchar la historia y se aguante la pena de mirarle.

Esa noche del 1 de noviembre de 1995, justo al doblar en aquella solitaria carretera...

–Ni una sola estación –dijo con molestia al no poder sintonizar su radio, no podía presumir que se dirigía a gran velocidad a Veracruz, ya que los pronósticos anunciaban mal tiempo, aunque apenas la briznita se dejaba sentir y todavía había un poco de luz no se atrevía a pisar más el acelerador; después de todo llegaría a dormir a Orizaba.

Al llegar a la curva conocida como "peligrosa", alcanza a ver a un niño en mitad de la carretera. Frena rechinando llantas y todo.

–Pero, qué le pasa a este mocoso –dice con furia el señor, quien sólo alcanzó a mirar al escuincle correr hacia la orilla perdiéndose entre los árboles.

–No puede tener más de cinco años –piensa–. Pero ésta me la paga; mira que estarse atravesando así en esta carretera, como si no fuera difícil transitarla.

Se detiene en el acotamiento y trepa con trabajos una colina. Al tropezarse con una piedra su coraje aumenta.

–Mira que hacerme esto, pero ya verá –continuaba pensando mientras se agacha para sobarse y cuando levanta la cabeza, mira al niño justo enfrente de él; recuerda que era muy moreno, llevaba sólo una camiseta azul y en su mano derecha llevaba consigo un muñequito.

El tío intentó gritarle o por lo menos decirle una grosería, ya que su imprudencia no había sido para menos. Justo en ese momento el pequeño le sonríe con una boca chimuela y no le deja decir nada, porque se lleva el dedo a la boca y le hace:

–Shhhhhh –señalando el camino que se podía apreciar abajo.

Sólo de esta manera pudo percatarse que dos camiones de pasajeros pasan como locos por los dos carriles de la carretera jugando carreras. La velocidad era tal, que en cuestión de segundos se pierden de vista. Mil cosas le pasaron por la cabeza como:

–¿Qué hubiera pasado si he estado ahí en ese momento?

Después de unos segundos el tío recuerda al niño. Claro, ahora era él quien le salvaba la vida.

–Si el niño no se hubiera atravesado, quizá ahora... –pensó y en seguida se volvió hacia donde estaba el pequeño.

Y es en ese momento cuando nota que el niño ya no estaba, ni el ruido del viento, ni una casa; nada, absolutamente nada, sólo la oscuridad del monte. Concluye su historia sin poder explicar de donde salió aquel pequeño, incluso hay quienes afirman que todavía en esa carretera si uno transcurre con el auto sucio, puede percatarse al llegar a Orizaba que unas huellas de manos pequeñas han puesto su recuerdo.

EL SACRAMENTO

Las noches en la ciudad de México fueron siempre muy tranquilas desde hace 60 años, sobre todo en el viejo pueblo delante de la Villa, allá por la Basílica de Guadalupe, incluso los habitantes de "Los Remedios" sabían que pronto el nuevo padre llegaría y habría nuevamente misas.

Un par de semanas después y el cansado padre se retiró ese viernes a dormir más temprano de lo acostumbrado. Llevaba apenas tres meses en el pueblo y la gente lo había aceptado con gran entusiasmo.

Dormía ya profundamente cuando lo despertaron fuertes golpes en la puerta; los golpes no cesaban, por lo que el padre finalmente respondió:

–¿Quién llama a la puerta?

Se escucharon más llamados.

El padre se levantó y tomó su reloj.

–Ya es tarde. ¿Qué se les ofrece a esta hora?

Sin recibir respuesta, sólo el aumento de golpes en la puerta.

–He dicho que ¿quién es? –levantándose de la cama alcanzó su sotana.

–Si tuviera la bondad padre –le contestaron– lo necesitamos porque nuestra madre está muy enferma.

–¿Ya llamaron al doctor? –la pregunta del religioso no sobraba; en aquel pueblo mucha gente trataba de curar sus dolencias con remedios caseros.

–Padre, hace mucho ya no hay remedio –respondió la voz que provenía de afuera.

El padre al escuchar esto prometió salir en seguida.

–Sólo me cubro.

Como pudo el soñoliento sacerdote se vistió y tomó lo necesario para realizar el rito de la extremaunción, ya que este sacramento católico se le da a los enfermos que están en peligro de morir para que Dios les perdone de sus pecados.

Al salir, dos hombres jóvenes vestidos de negro lo guiaron a toda prisa por las desoladas calles. Después de varias vueltas llegaron a un zaguán por el que entró a una casona que no creía haber visto antes. Sólo hasta ese entonces se dio cuenta que no conocía a sus guías; nunca habían estado en misa o en el mercado. Días después llegó a la conclusión de que nunca les vio la cara aquella noche. Eran sólo una visión borrosa en su memoria.

Entró solo a aquella habitación oscura, iluminada únicamente por enormes velas rojas. Al fondo, sobre una cama desvencijada estaba la moribunda. Su respiración apresurada sólo se interrumpió un momento.

–¡Qué bueno que ya vino padre! –dijo con trabajos la anciana.

El padre se acercó.

–Voy a empezar, hija.

Mientras le aplicaba los santos óleos, algo le molestó mucho al religioso. Tal vez era la desvelada, o la caminata en la noche, o la frialdad horrible de la frente que tocaba.

–Por Dios, ¿qué no hay nadie que le dé otra cobija? –pensó furioso.

Terminó rápidamente mientras murmuraba un simple "¡Que Dios te bendiga!". Por un momento fijó su vista en aquella boca desdentada, la piel de la anciana estaba tan arrugada y verdosa, la mirada entre ansiosa y perdida.

Salió a toda prisa y caminó ya sin compañía a su casa. Pensó que ni siquiera habían tenido la atención de acompañarlo de regreso.

A la mañana siguiente, muy temprano, notó su olvido. ¿Cómo puede olvidar un sacerdote su libro de ritos en cualquier lado? Salió de prisa un tanto deslumbrado por el sol a buscar la calle de la noche anterior.

No le costó mucho trabajo dar con ella; después de todo, "El Rosario" nunca había tenido calles tan derechitas y en especial aquélla. Ahí estaba la casona, tan oscura como antes. Tocó con moderación la campana. A la séptima vez que la tocó, un vecino salió a preguntarle:

–¿Qué desea padre?

–Olvidé mi libro ayer cuando vine a atender a una enferma –respondió con seguridad.

El señor lo miró dudando.

–¿Aquí padre?

–Si hijo, estoy seguro que fue aquí –dudó un momento–. No creo haberme equivocado.

El señor continuó mirándolo fijamente.

–Padre, no quiero contradecirlo, pero tendría que mirar bien el número.

El padre se mostró molesto y terminó afirmando:

–No creo haberme confundido, apenas anoche estuve aquí.

–Pero si en esta casa no vive nadie desde que terminó la Revolución –afirmó el vecino.

–¿Cómo de que no? Aquí estaba una anciana y sus dos hijos –dijo el padre.

–Pues sí –continuó el vecino–, eso sí es cierto, pero la vieja murió hace ya 15 años, sola, porque a sus dos hijos los fusilaron en la guerra. ¡Ya ve cómo era antes! –dijo el vecino que no parecía tan viejo como para saberlo.

–Mira hijo, estoy seguro –dijo el padre–. Esta casa no es como para olvidarse.

–Pero si olvidó su libro..., padre.

El padre guardó silencio por unos segundos.

BIBLIA

–Mira, ¿puedo entrar?

–Ya le dije que no vive nadie –se acercó el vecino–. Pero déjeme brincarme por atrás para abrirle.

Apenas le abrieron, el sacerdote corrió al cuartito del fondo. Todo estaba lleno de polvo, no había muebles, olía mal, como si ni el aire mismo hubiera podido salir en años. Pero allí, encima de la mesilla, estaba su libro, tan cubierto de polvo como si nadie lo hubiera tocado durante muchos años.

LA CALLE DE LA RESUCITADA

Cada calle, rincón y ciudad, tienen consigo historias que han enorgullecido o quizá atemorizado a los pobladores; incluso, hay quienes se han familiarizado tanto que ya ni temen transitarlas por las noches. Algunas de ellas han desaparecido con el paso del tiempo.

Éste no es el caso de nuestra historia, ya que para los habitantes de Zacatecas, muy en especial en el centro de la ciudad, cada vez que llega un nuevo morador; los vecinos cuentan la leyenda, es así como la han podido conservar, para que no se atemoricen si en una noche fría, andando por las calles, se encuentran con la sombra de la resucitada.

Todo comenzó en el mes de mayo, cuando doña Luisa Villanueva salía del templo. Ella era precisamente la flor más bella del lugar; su belleza despertaba la admiración no sólo de los caballeros, sino de las damas, que además le envidiaban. La bella mujer era tan discreta que muy a pesar de escuchar frases como "seguro estoy de que no hay mujer más hermosa que ella", nunca mostraba signo de atención. No era secreto que ella estaba comprometida con el viejo regidor; sin embargo, los caballeros respetaban su decisión sin ni siquiera acercársele.

Pero aquello no significaba que no suspiraran a sus espaldas. Hasta que cierto día un gallardo joven se acercó a un par de admiradores.

–No hablen de doña Luisa en mi presencia, ni tampoco piensen en ella.

Al escuchar esto los dos hombres vuelven sus miradas furiosas hacia aquel joven atrevido.

–¿Qué dijiste? –preguntó furioso el más grande de los dos.

–Lo que escuchaste. Guárdense sus inútiles pensamientos para otra dama que no sea Luisa.

–Pero, ¿qué te sucede? –continuaron furiosos.

El gallardo joven enseñó una pistola.

–Lo que oyeron. Y a quien no le parezca, que se mida con mi pistola.

Los dos hombres se dieron la vuelta y sin más importancia, se alejaron del atrevido joven, que sin perder más tiempo se fue caminando tras doña Luisa. Inútil fue siempre con aquella bella mujer, comprometida en matrimonio con el regidor. Sin embargo, el joven no se daba por vencido.

–Debes saber doña Luisa, que mi pecho está inflamado de amor por ti, y que es eterno el sufrimiento al encontrarse con tu desprecio.

Doña Luisa volvió su mirada y sin detenerse:

–No insistas. Sabes bien que estoy comprometida.

–Lo sé –continuó el joven sin importarle–, pero sabes que dispuesto estoy hasta morir por ti.

Doña Luisa, molesta ante la insistencia de don Jorge, aceleró sus pasos. Pero el desdichado hombre era tan terco, que se plantó enfrente de la plaza y comenzó a gritar:

–Escuchen todos: deben saber que amo a esta mujer con toda mi alma. Si hay alguien aquí que se oponga a ello, háganmelo saber.

Ante estas palabras, un señor de avanzada edad dispuso de la palabra.

–Debes tener respeto por quien no está en este momento. Tengo entendido que doña Luisa contraerá matrimonio con el regidor Roberto Ruvalcaba. Deberías ir frente a la casa del regidor y gritar tal canallada.

Don Jorge se acercó hasta el señor y con gran valor dijo:

–Pues sea usted quien vaya hasta la casa del regidor y dígale que lo reto a duelo.

Aquella conversación fue interrumpida por don Joaquín, muy amigo del regidor.

–¡Vaya escándalo! Don Jorge. Veo que no sabes respetar a una dama, y créeme que no es necesario que el regidor se tome la molestia de venir hasta aquí. Yo aceptaré el duelo.

Doña Luisa caminó de prisa, pero el gallardo joven la detuvo una vez más.

–Espera, espera a mirar el duelo –silencio un momento–. ¿No ves que todo esto lo hago por ti?

–Ya no quiero seguir escuchando –dijo Luisa con los ojos llorosos–. Sólo pido que me dejes en paz.

–¡No! –interrumpió don Jorge tomándola del brazo–. Tú me escucharás así sea en el mismo infierno.

La lucha fue breve. Las ansias de don Jorge por quedar bien frente a su amada, hizo que de un solo tiro muriera su contrincante. Una vez que el duelo terminó confirmó:

–Y escuchen bien. Todos son testigos. Decidle al regidor que esta noche lo espero en el puente de San Dimas.

Esa misma noche don Jorge aguardó la llegada del regidor, quien seguramente desearía defender su honor y el amor de doña Luisa. Mas el regidor no acudió a la cita; en su lugar, se acercaron al puente de San Dimas dos misteriosos hombres cubiertos con sus capas, cautelosos avanzaron hasta el caballero.

–¿Don Jorge? –preguntó con voz ronca uno de ellos.

–El mismo. ¿Qué se les ofrece?

Ambos se acercaron y sin más, desenfundaron sus pistolas y le propinaron un par de tiros, los cuales no fueron muy certeros. Una vez que lo creyeron por muerto. se dieron a la fuga.

Al amanecer, el fraile Felipe, descubrió a don Jorge muy malherido.

–Fraile –decía con voz débil–, ayúdeme. Dos malandrines me atacaron.

–Ave María Purísima, hijo. Aguarda, voy por el médico.

El fraile salió corriendo por ayuda. Don Jorge finalmente fue llevado a su casa donde el médico le extrajo las dos balas que entraron en su cuerpo.

Una vez que la fiebre bajó, su sirviente se quedó al cuidado, pero aún continuaban las alucinaciones.

–¡No, no, no me atormenten diablos malditos!

El sirviente era supersticioso y ató a don Jorge a la cama.

Una vez que éste recobró el conocimiento:

–¿Por qué me tienes atado, siervo del demonio?

–Señor amo, para que no se lo llevaran los malos espíritus.

Don Jorge molesto:

–¿Por qué dices eso?

–Porque sus heridas fueron producidas por armas hechizadas.

El criado le explicó que aquellas heridas no sanarían hasta no ser curadas por manos de hechiceros. De esta forma le recomendó a un brujo poderoso. Conocía de sus poderes y sabía que nadie más podía hacerlo.

Don Jorge aceptó, no sin antes recordarle lo que le pasaría si el hechicero fallaba.

Esa misma noche condujo ante su amo a un viejo repulsivo.

–Amo, he traído al hechicero.

–¿Podrán sus poderes calmar estos males que me aquejan? –preguntó reincorporado don Jorge.

El hechicero levantó las manos y con voz tenebrosa dijo:

–Quien domina la vida y la muerte, es capaz de dominarlo todo –se aproximó hasta él–. Sabe que poseo poderes de mis antepasados y lo mismo puedo dar la muerte, que devolver la vida.

–Sólo hay una forma de creer –dijo con sarcasmo don Jorge–. ¡Cúrame!

El brujo comenzó con una serie de invocaciones demoniacas, después cubrió con hierbas frescas la frente de don Jorge y aplicó cataplasmas de plantas astringentes sobre las heridas. Y cuenta la leyenda que tres semanas más tarde estuvo curado y en lo primero que pensó fue en doña Luisa. Pero recibió un golpe en el corazón cuando su criado le dio la noticia de que ya había sido desposada con el regidor.

–Y, ¿por qué no lo dijiste? –espetó sacudiendo a su criado–. Pero te juro que la arrancaré de los brazos de ese viejo.

–No veo cómo amo, el regidor la tiene vigilada día y noche –silencio un momento–. El regidor la tiene encerrada más como prisionera que como esposa.

Fue entonces cuando a ambos les cruzó la misma idea por la mente: llevar de regreso al hechicero para que a través de sus invocaciones lograra que doña Luisa le amara. Pero el criado no localizó al hechicero sino hasta diez meses después. Una vez que lo tuvo nuevamente delante de él, le habló sobre sus más fervientes deseos.

–Nada hay más fácil –dijo el hechicero–. Unas gotas de este elixir la harán caer a sus brazos.

No conforme con eso don Jorge dijo:

–No la quiero tener por momentos, quiero que sea mía para siempre.

–Entonces debes aguardar nueve días, tiempo en que hará efecto mi hechizo.

–Pues comienza ya –interrumpió Jorge–. Te daré cuanto quieras: riquezas, oro, propiedades.

–Hay algo más valioso, señor –concluyó el hechicero con voz maléfica.

A la mañana siguiente el repugnante viejo comenzó sus extrañas ceremonias, pero seis días después don Jorge recibió la terrible noticia de que doña Luisa había muerto. Creyendo que había sido culpa del hechicero, viajó de pronto a buscarle.

–Maldito brujo, hijo de mil demonios, ¿qué diablos le has hecho a doña Luisa? –dijo furioso al entrar a la choza.

El brujo levantó las manos.

–Un mortal causó la muerte de doña Luisa. Es la muerte misma quien la ha reclamado y sólo de esta forma podrá ser suya –se acercó hasta él y con voz ronca continuó–... para siempre. Puedo sacarla de la tumba y entregártela.

Los ojos de don Jorge brillaron de codicia y deseo.

–No me importa nada, no importa si la sacas del mismo infierno, la quiero para mí.

–Sólo recuerda que tengo poder sobre la muerte, pero debes pagarle a alguien.

–Pagaré lo que sea y a quien sea con tal de tener a doña Luisa.

Con estas palabras abandonó la choza del hechicero, recordando las últimas palabras de éste: "Dentro de nueve noches estará a su lado, sólo tiene que esperar".

Durante las noches que faltaban para la novena, don Jorge pensaba ya confiado en que el hechicero le devolvería a doña Luisa. Analizó todo y se repetía a todo momento que ella no había muerto, que todo había sido un engaño del hechicero para poder llevársela, no importando cuánto pagara por ella, lo esencial ahora sería tenerla.

Dice la leyenda que llegó la novena noche, noche de la macabra ceremonia. El brujo pintó un círculo sobre la tumba y en medio ardían tres huesos y hierbas, mientras repetía: "nueve son las puertas de la muerte, nueve las noches que espera el alma de Luisa".

Concluida la ceremonia, Luisa, mortuoria y pálida, obedeció las órdenes del brujo. Sin que nadie los interrumpiera llegaron hasta la casa de don Jorge y ante ella el brujo le dijo a la joven:

–Ahora debes ir y entregarte en brazos de quien te ama y por quien volviste a la vida.

Al entrar a la casa, don Jorge le recibió con gentileza.

–¡Luisa, ya te esperaba! –corrió a tomarla entre sus brazos y fue entonces cuando comprendió que en realidad la joven sí había muerto y que por obra del hechicero estaba nuevamente viva–. No me importa si has venido de la misma muerte, Luisa, no me importa nada.

Ante sus palabras ninguna respuesta, pero a él nada le importaba. Y con aquel cadáver insepulto vivió don Jorge en una capilla del jardín de la casona durante el día y como sonámbula, sin voluntad, la muerta andante penetraba a la casa principal al caer la noche.

Varias de esas noches, curiosos y trasnochadores vieron a esa mujer que no se sabía si estaba viva o era un ser del otro mundo. Pero no faltaron quienes una noche fueron a husmear a través de la reja del jardín.

–¡Miren, esa mujer está muerta! –se escuchaban los gritos aterradores–. Sí, es un fantasma.

Fueron dos quienes se atrevieron a mirarla fijamente.

–Aguarden, ¿saben a quién se parece? ¡Cielo Santo a doña Luisa! Pero ella está muerta.

Aunque corrieron los rumores, ninguno de los presentes hizo la denuncia. Pero a la novena noche todo acabaría, cuando don Jorge extendió los brazos a su amada. Por primera vez habló el espectro de mujer:

–Debes venir conmigo al reino de las sombras; el plazo se ha cumplido.

Al mirarla, don Jorge quedó paralizado al darse cuenta que el bello rostro de la joven se había convertido en un descarnado esqueleto.

–¡No, no! –caminando hacia atrás–. ¡Aléjate de mí!

Y salió despavorido por las calles, echando a correr enloquecido.

–¡No, no quiero ir!

Y no se detuvo hasta llegar a las puertas de la iglesia adonde llamó angustiosamente. Al abrirle, rogó al padre que lo confesara. Una vez que se confesó, el padre lo miró con terror.

–Debes volver a casa hijo, tu pecado es tremebundo. Has conjurado al Demonio para traer a nuestro mundo a una muerta. Yo no lo puedo perdonar, ni tampoco guardar silencio ante tamaña falta.

–No padre, por favor, no me ordene tal cosa, no me haga volver a la casa.

Sin decir más, salió corriendo sin rumbo por las calles enloquecido gritando incoherencias, como si fuera perseguido por demonios.

Una vez que el padre reveló el secreto, el Santo Oficio llegó hasta la casona para descubrir el cadáver. Buscaron inútilmente al hombre que recurrió a la hechicería, al demonio, para satisfacer enfermiza y macabra pasión.

–Capitán no hay nada de ese hombre.

–Deben seguir buscando.

Cuando llegaron a la capilla, descubrieron el cadáver de quien fuera la hermosa doña Luisa.

–Miren, ese perverso adorador del demonio vivía con el cadáver de la esposa del regidor.

Ante los ojos atónitos de todos, Luisa parecía recién muerta por lo conservada que estaba. Cosas del demonio, no hay otra explicación a tal fenómeno. Ciertamente, esa misma noche descubrieron a un hombre ahorcado. Quienes vieron al gallardo joven, dicen que llevaba en su mejilla la marca del Demonio y que no cabe duda de que se trataba de don Jorge. Hay quienes afirman que todavía por las noches se puede ver a doña Luisa caminar de una vieja capilla hasta perderse en lo que fuera la vieja casona.

Hace tanto que aconteció aquella terrible historia, pero dicen que si ven a un brujo por la ciudad, no deben ni mirarle porque es el mismo Diablo en persona.

El Túnel Maldito

La industrialización trajo consigo grandes cambios; con ellos, las viejas historias y leyendas parecieron olvidarse; la gente entusiasmada veía cómo los avances no sólo les permitían desarrollarse y conseguir mejores empleos, sino que también esos cambios se convertían en un medio de transporte; tal fue el caso de la máquina de vapor y con ella el famoso ferrocarril que llegó cuando nuestro país atravesaba por la dictadura más larga de su historia. Por aquellos años se buscaron nuevos caminos para acortar las distancias y llevar el progreso hasta donde los recursos lo permitieran; de esta manera se inició la construcción del ferrocarril que atraviesa justo por encima de la tierra de Sor Juana Inés de la Cruz; allí se reflejaban en las miradas el entusiasmo de los productores al saber que pronto sus cosechas podrían ser transportadas por aquella fantástica locomotora. Y es justo ahí donde inicia nuestra historia…

Jacinto fue el encargado de llevar a cabo la construcción de la nueva vía ferroviaria; a su cargo tenía más de cien hombres de campo: rudos y fuertes, que trabajaban sin cesar; llevando grandes cargas a lomos de animales. Cuando los encargados les decían qué hacer, dónde había que dinamitar, por dónde cruzaría la vía, en fin, era una tarea bastante pesada, por lo que las jornadas se tornaban cada vez más extensas. Fue entonces cuando en un claro empezaron a tornarse cada vez más difíciles las tareas. Las viejas supersticiones no tardaron en aflorar.

"Son los demonios del bosque", se decía.

"Son los duendes y las brujas", se comentaba.

"No, son bolas de fuego que no nos permiten trabajar", no cesaban las supuestas explicaciones.

Cuando eso llegó a oídos de los altos funcionarios en la capital del Estado, de inmediato mandaron a gente capacitada para concluir con aquella aparente imposible labor. Al llegar estas personas se encontraron con mucho alboroto; gente que había hablado de más, tal vez por temor, ignorancia, resignación; en fin, toda una gama de creencias ante sus oídos ilógicas. Pensaban que sólo era cuestión de dinamitar con una mayor carga. Fue entonces cuando Pedro (un trabajador malencarado), que por ambición quería el trabajo de Jacinto, empezó a comentar que ese lugar estaba maldito y lo protegía un gran demonio.

Por supuesto, las risas seguidas de molestia no se hicieron esperar. Con todo y que él afirmaba que aquel demonio no sólo era real, sino que además se comunicaba con él, diciéndole que era el único dueño de aquel cerro y que no les iba a permitir que construyeran ninguna vía ferroviaria, los funcionarios, como era de esperarse, pidieron a los demás trabajadores que llevaran a Pedro muy lejos de aquel lugar, advirtiéndole que no regresará si no quería verse en problemas con el gobierno. Él accedió no sin antes volverles a advertir de lo que podría pasar.

En efecto, pasaron los días y no podían derribar aquel peñasco a pesar de las excesivas cargas de dinamita que utilizaban para entonces, incluso no podían ni pensar en cambiar la ruta, ya que esto acarrearía más gastos, más jornadas y más gente. Cuando la terquedad de estas personas se hizo más fuerte, ocurrió algo que nadie se explicaba: las vías de acero que habían dejado una noche antes en aquel lugar, a la mañana siguiente estaban dobladas completamente como si algo o alguien tan fuerte las hubiera estrujado con gran facilidad. Los siguientes días ocurrió lo mismo hasta que aquellas vías desaparecieron por completo; fue entonces cuando mandaron llamar a Pedro, quien además gozaba de gran fama, al saber que este hombre estaba entregado a la brujería negra.

–Si dices que en realidad hay un demonio, pregúntale a aquél. ¿Qué debemos hacer para continuar con nuestro camino? –preguntó el encargado con notorio sarcasmo.

Pedro lo miró seriamente y sin vacilar respondió.

–Si me permite regresar con voz de mando, esta misma noche le diré cómo romper ese peñasco sin la necesidad de la dinamita.

Aquellas palabras fueron interrumpidas con las risas de todos los trabajadores, que para entonces escuchaban atentamente.

–Trato hecho –dijo el encargado–. Pero que quede claro, que para mañana quiero ese peñasco abajo.

Dicho esto dio la vuelta y se retiró alcanzado por Jacinto que le comentó:

–No le creerá tal cosa, ¿verdad patrón? –decía mientras caminaba a paso apresurado.

Jacinto continuó tomándolo del hombro.

–Esto ya no está en mis manos. Si ese maniático logra tirar el peñasco, mañana estaré de regreso y tú continuarás al mando.

Aquella noche, estaba por demás oscura; sólo se escuchaba a lo lejos el canto de un búho. Todos los trabajadores habían regresado al pueblo, no sin antes recibir la orden de que al siguiente día se presentaran al salir los primeros rayos del sol. Y en efecto, a la mañana siguiente todos estaban preparados. Fue entonces cuando llegó Pedro a encararse con el encargado.

–He cumplido mi parte del trato. ¿Ahora tengo el mando?

El encargado lo miró con desconfianza.

–Todavía no; aún no has cumplido lo prometido; desde aquí veo el peñasco todavía en pie –dijo alzando la mirada.

–Ese peñasco ya es cuestión del pasado –decía Pedro con confianza–. Es muy simple, él quiere a cambio de tirar ese peñasco y de construir la vía ferroviaria, las almas de los pasajeros del primer tren que pase, y las almas de niños inocentes para la cimentación del túnel.

–¡Está loco! –se escuchaba en murmullos.

Pero el encargado era un hombre muy testarudo y nada supersticioso, por lo que sin más aceptó el trato.

Cuentan que cuando estaban construyendo la cimentación, ésta se derrumbaba a todo momento, y aunque se

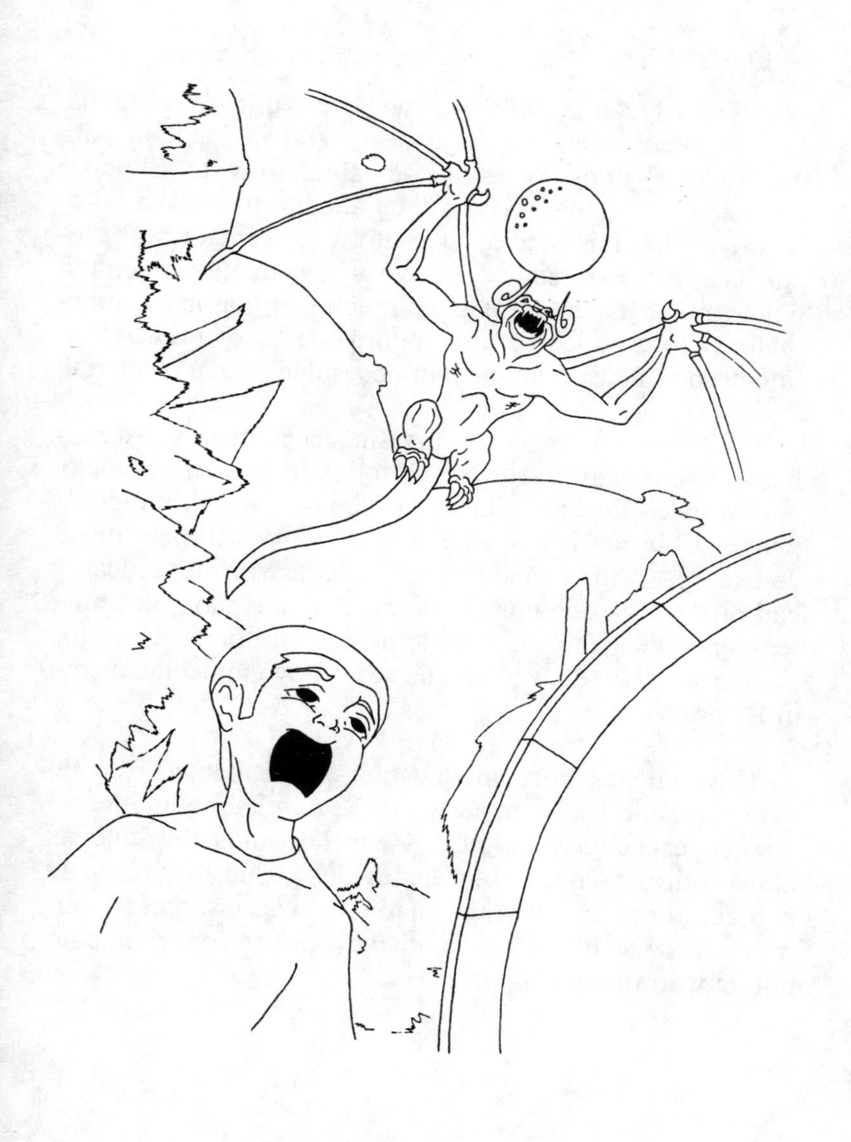

volviera a levantar, volvía a caer sin explicación alguna. Fue entonces cuando el hijo de un trabajador bajó para acomodar algunos postes que se habían movido. El pobre muchacho no tenía más de doce años y ya andaba laborando en la construcción. Desafortunadamente no escuchó la orden para salir del hoyo y el cemento lo sepultó por completo. Las lágrimas de muchos brotaron de inmediato, pero ante los ojos incrédulos de todos ellos, el cimiento permaneció en pie, sin necesidad de más material.

En efecto, no acabó el año sin ver aquella vía terminada. Y en cuanto al trato, ya todos lo habían olvidado. No tardó en llegar el día de la inauguración. Veinticinco personas abordarían aquella tarde el ferrocarril para llevar consigo la primera carga (la que consistía de azúcar y carbón). Carga que nunca llegaría a su destino, pues misteriosamente hubo un terrible accidente donde todos los pasajeros murieron, suceso que se atribuyó inmediatamente al demonio...

Hay quienes afirman que todavía cuando el tren de carga cruza todas las mañanas (9:12 a.m.) aquel monte, se pueden escuchar los gritos y los lamentos de aquellas almas que no encuentran el descanso, puesto que en la población se comenta que solamente descansarían si ocurriera otro accidente, a la misma hora y con el mismo número de pasajeros.

La Dama Ensangrentada

Mucho se ha hablado de la percepción extrasensorial; mientras unos la niegan, otros la aceptan sin recelos. El siguiente relato se refiere a este aspecto.

Cuenta la leyenda que en el mes de febrero llegaron a la casona más grande de la ciudad unos jóvenes provenientes del extranjero. Fueron recibidos con gran afecto.

–Pasa Manuel, eres bien recibido en nuestra casa –dijo el dueño gustoso.

–Muchas gracias –dijo el joven agradecido–. Señora estoy a sus pies –continuó con reverencia hacia la señora.

La señora gustosa de verlo:

–¿Y qué me dices de tus padres?

–Les mandan sus saludos y sus respetos a la familia, señora.

Aquel joven venía a México a pasar una larga temporada; al menos esas eran sus intenciones. Y fue entonces cuando ordenaron al criado llevarlo hasta su habitación, no sin antes reiterarle el agrado de tenerlo en casa.

El joven fue tocado por el duende del amor que hizo su presencia dos noches después, en el jardín. Él miraba a una bellísima muchacha.

"¡Qué belleza tiene esa mujer!, que con la luz de la luna, se ve más hermosa", se repetía en la mente. Noche tras noche Manuel admiraba la belleza de la joven y comenzó a enamorarla, hasta que un día no se resistió más:

–Margarita, si vieras cuánto te amo –dijo ante la presencia de la bella joven.

–Cállate que pueden escucharnos –dijo la mujer–. Si deveras me amas, ¿por qué no bajas hasta aquí?

Manuel sin pensarlo:

–Ahora mismo bajaré.

Margarita le advirtió que ella no podía entrar a su casa, ya que se lo habían dicho días antes.

–Pero, dime, Margarita, ¿de verdad me amas? –preguntó Manuel.

La respuesta fue inmediata y con la promesa de volver mañana, la joven se retiró.

Al día siguiente, el joven enamorado se entregó febrilmente a la fabricación de una escalera.

"Con esta escalera bajaré hasta el jardín –pensaba– la tomaré entre mis brazos. ¡Oh, Dios mío, cuánto ansío ese momento!

Esa misma noche, Manuel escaló el grueso muro y Margarita ya lo esperaba con fervor.

–Margarita, cuánto te amo –pronunció el enamorado joven–. Debes creer, pues siento mucho amor desde hace mucho tiempo. Tal parece que viajé para encontrar tu amor.

Margarita con un amor notable en los ojos respondió:

–Yo también. Tal parece que estuve esperando tanto para tener tu amor.

Y fue así que durante varias noches los enamorados pasearon por el jardín iluminado por los rayos de la luna, hasta que en una de tantas, llegó el momento de la confidencia de un par de enamorados.

–Margarita, amor mío, he escuchado que suspiras muy a menudo. ¿Por qué?

Mirándolo fijamente:

–Hay Manuel de mi alma, has de saber que pronto he de morir.

Manuel la miró desconsolado.

–No entiendo. Explícame.

–Esta noche hablé con mis padres y ellos han pensado que he de servir a Dios.

Manuel se levantó y sin medir sus palabras.

–¿Quieres ir a un convento?

–Sí, así es –respondió la joven.

Manuel enfurecido.

–¡No, jamás lo permitiré!

La joven le advirtió que sus padres la vigilarían siempre.

–Oh, Manuel, si supieras que quiero abrazarte por siempre en el jardín.

Manuel no dudó en preguntar el tiempo que tardaría en entrar al convento.

–Aún no lo sé, pero temo que no sea en mucho tiempo –dijo Margarita con los ojos llorosos.

Manuel, desesperado, suplicó a su amada permitirle ir a hablar con sus padres, pero ella se rehusó y pidió que no lo hiciera.

–Pero Margarita, les diré que te has entregado a mí y tendrás que casarte.

Ella lo miró con dolor.

–Entiende, no lo aceptarán jamás.

Margarita lloraba sin consuelo, y desesperada corrió al interior de su casa. Minutos después Manuel en su cama no podía dormir presa de los más diversos pensamientos.

–"Tengo demasiadas dudas" –pensaba atormentado–. ¿Cómo es posible que Margarita permita eso? Y ella habla de sus padres y ¿cómo es que jamás los he visto?

Pero esta vez Manuel estaba decidido a hablar con sus padres y esperó a que la siguiente noche llegara.

Al día siguiente, Manuel estuvo observando fuera de su casa hora tras hora, sin notar que nada ni nadie cruzaba el portal. Continuaba con sus dudas: "¿Estará encerrada en su cuarto? ¿Y si le han obligado a irse ya?".

Pasaron las horas y por fin miró a su amada.

–Margarita, ¿qué te ocurre?, te noto muy pálida.

Margarita lo miró fijamente.

–Sabes, mañana mis padres me llevarán al convento y no volveré a verte.

Manuel se exaltó.

–¡No, no, jamás! Hablaré con ellos.

Margarita lo detuvo.

–Ya lo hice amor, pero ellos jamás entenderán.

–Margarita, ¿sabes cuánto te amo? –decía con despecho Manuel– y cuánto deseo entregarme a ti; estar al pendiente de tus deseos.

Margarita llorando.

–Y que yo te he correspondido, por eso mis padres se han dado cuenta y mañana cuando amanezca estaré en el convento.

–No Margarita, soy capaz de hacer lo que sea; no me dejes –tomándola entre sus brazos.

Margarita le externó sus deseos de continuar con él, pero también sabía de su debilidad ante los mandatos de sus padres.

Manuel preocupado preguntó:

–¿Acaso ha ocurrido algo que yo no sepa?

–Sabes que lo único que deseo es que tú me raptes.

Manuel estaba al punto de la locura, pero estas palabras le devolvieron la esperanza. Sabía que ante esa situación era lo único que podían hacer para continuar con el dictado de sus corazones. Le prometió llevarla hasta su casa adonde finalmente se casarían.

Justo antes de despedirse Manuel recordó algo:

–Pero Margarita, ¿cómo puedo sacarte de tu casa? si siempre está vigilada.

Ella aguardó un momento pensando y sólo le dijo que esperara una señal. Acordó fingir enfermedad para que sus padres no la llevaran al convento durante el día.

Una vez que Manuel llegó a casa, se dirigió a ver a aquellas amables personas que lo recibieron al llegar de su país. Pidió un dinero prestado, mas nunca mencionó la causa; sabía que no podía meter a esa casa a Margarita, ya que sería como defraudar a quienes un día le tendieron la mano. Con el dinero en la mano subió hasta su habitación a recoger todo lo que había llevado consigo. La noche anhelada había llegado. Manuel estaba preparando todo lo que se llevaría, claro, sin olvidar el dinero que había obtenido prestado y fue en ese momento cuando su tutor entró.

–Manuel, qué bueno que te encuentro todavía despierto –al notar que el joven no había mostrado atención– te noto nervioso. ¿Te ocurre algo?

Manuel volvió su mirada hacia él.

–No, perdone señor, sólo que no lo había escuchado entrar –dijo con nerviosismo.

Su tutor le pidió que le ayudara a revisar unas cuentas; después de todo, Manuel era un excelente estudiante. Al imaginar tantos libros, pensó que no llegaría a tiempo para reunirse con su amada, mas no tenía otra alternativa.

Bajaron hasta el despacho donde no pudo confesar que se le hacía tarde para raptar a Margarita. Y mientras ayudaba a hacer las cuentas, no cesó de mirar aquel reloj de arena que marcaba la hora en que debería estar aguardando a su amada.

–Daré vuelta al reloj –dijo Manuel con preocupación.

El tutor volvió su mirada.

–Oh, deja ese viejo reloj que de nada servirá marcar el tiempo.

Continuaron atareados en los libros, pero unos ruidos fuertes y extraños que provenían de la casa vecina los interrumpió. "Es en la casa de Margarita" –pensó de inmediato Manuel–, quien se levantó de aquella mesa y pidió un descanso justificando que necesitaba aire fresco, permiso que su tutor no le negó en lo absoluto. Y desesperado, lleno de ansiedad se paró frente al zaguán de la casona antigua.

"Margarita, Margarita he llegado tarde, pero aquí estoy por favor sal", pensaba con mucho fervor.

De pronto, dice la leyenda, se abrió lentamente el zaguán y apareció la dulce figura de la amada, como si ésta lo hubiera escuchado. Manuel, al mirar, no dudó en confirmar sus deseos.

–Margarita, es tiempo. Huyamos.

Margarita caminaba lentamente y una vez que llegó hasta los brazos de Manuel dijo dulcemente:

–¡Amor mío, qué tarde has llegado!

Fue entonces cuando él notó la terrible herida que la bella joven llevaba en el pecho.

–¡Margarita! ¿Qué te sucedió? –preguntó con horror.

La joven lo miró y con su mano acarició el rostro de su amado.

–Yo misma he sido.

–Pero, ¿por qué?

Ella se desplomó diciendo:

–Te esperé más de lo acordado y pensé que no volverías –guardó silencio unos momentos–. Creí que me habías engañado y mi corazón no soportó tanto dolor. Es por eso que decidí morir.

Manuel cargó a la ensangrentada mujer, pero se encontró con la puerta de la casa cerrada y ni sus padres ni sus

criados habían ido por ella. Entonces, a toda prisa entró a la casa de sus tutores y la subió hasta las habitaciones. La acostó sobre la cama y pudo mirar cómo la bella joven se debilitaba y sin valor que le pudiera permitir quitarle el puñal del pecho.

Ella lo miró con desesperación.

–Amado mío, me muero.

Manuel, olvidando dónde estaban, gritó con dolor:

–¡No, no morirás, iré por un doctor!

Y sin comunicarle nada a sus tutores salió de la casa en busca de un doctor, pero cuando regresó, los señores estaban al pie de la escalera esperándolo.

–¿Qué te ocurre Manuel? ¿A qué se debe la presencia del doctor? –preguntó desconcertado el tutor.

–Algo espantoso, Margarita se ha clavado un puñal en el pecho –respondió con desesperación el joven.

La señora se acercó a él.

–¿Dices Margarita?

–Sí señora, la hija de nuestros vecinos –decía con desesperación–. Vamos doctor, o ella morirá –tomó al doctor de la mano y lo condujo por las escaleras mientras que el tutor agregó:

–Espera Manuel, estás equivocado –subió de prisa tras ellos–. En la casa antigua no hay ninguna joven.

Manuel no creyó palabra alguna, pero fue justo al entrar a su recámara que el impacto fuera más fuerte.

–¡No está!

Fue entonces cuando el tutor afirmó:

–Ya decía que inventabas cosas. En la casa vecina no hay ninguna joven, sólo los señores Verazaloce.

Manuel desesperado afirmó:

–¡No, yo digo la verdad! Miren esa mancha de sangre –señalando hacia la cama; al acercarse hasta ella, miró el prendedor de Margarita–. Miren, este prendedor lo llevaba Margarita en el cabello.

–No entiendo –concluyó su tutor para guardar silencio.

Manuel convencido se acercó hasta él.

–Pues yo creo que Margarita, aún con la herida se fue caminando hasta su casa.

Manuel salió de la habitación convencido de que su amada estaba en la casa vecina y fue allí adonde se dirigió. Tardó un rato para que los señores lo recibieran, momentos que bastaron para que el señor tutor llegara. Una vez que entraron hasta la sala, el tutor se decidió a hablar:

–Su visita nos honra señor, pero en cuanto a este joven, no sé cómo se atrevió a venir hasta acá –pronunció el señor Verazaloce mientras su esposa casi se desmaya de la indignación.

Fue entonces cuando molesto y con su puño amenazante dijo:

–Debes salir de aquí Manuel de Moreda.

Fue entonces cuando el tutor del joven, molesto, aclaró:

–Debe haber una equivocación. Mi huésped, quien ha venido del extranjero, se llama Manuel Carmona.

En ese momento la conversación de varones fue interrumpida por la señora Verazaloce, quien levantó la mano atreviéndose a señalar al joven.

–Pero, ¿cómo voy a olvidar al asesino de mi hija?

El tutor, ante tal indignación.

–Disculpe señora, pero juro que Manuel ha llegado hace apenas dos meses del extranjero.

El señor Verazaloce, al ver la molestia por parte de ambos, pidió que se le escuchara.

–Ellos dicen la verdad –y el silencio rotundo pidió el final de la explicación–. Yo mismo di muerte a Manuel de Moreda. Lo maté porque fue el causante de la muerte de mi hija Margarita –se desplomó ante ellos–. ¡Oh, Dios mío, al fin descargo mi conciencia! Yo le di muerte, no es él –señalando con respeto al joven–; él sólo se le parece. Yo mismo me aseguré de que muriera.

Manuel cayó en la desesperación.

–Pero eso no es posible. Yo mismo vi a Margarita; la llevé hasta mi casa ensangrentada.

–No joven –se levantó el padre de la joven–, mi hija tiene diez años de muerta y su tumba está aquí mismo, en el jardín que colinda con el de ustedes.

–¡No, no! –se repetía Manuel con desesperación y llanto–. Tengo una prueba. Miren, es el pendiente que llevaba hace unos momentos Margarita.

El señor Verazaloce con gran impresión dijo:

–¡No puede ser! Es el pendiente con el que enterramos a mi hija.

Manuel, confundido:

–Explíquenme entonces. ¿Cómo es que ha llegado hasta mi cama esta noche?

Nadie se pudo explicar el fenómeno. Manuel cayó de rodillas ante el Cristo pidiendo explicación a aquello.

–Dios mío, ilumina mi mente para comprender esto. Ilumina mi corazón para sanar esta herida –decía con fervor ante la presencia de todos.

Cuentan que Manuel comenzó a vivir una gran melancolía. Su alma se inundó de tristeza infinita. Fue entonces cuando sus tutores decidieron enviarlo nuevamente a su país, creyendo que con el tiempo olvidaría todo lo ocurrido. Y fue así que Manuel regresó a su casa.

Pero su ausencia desencadenó otro fenómeno, pues la noche del día en que partió (y muchas noches más), se empezó a escuchar el gemir de una mujer agonizante por los pasillos de la casa donde habitara Manuel. Aparecía después la muerta y salía a la calle.

Fueron varios los vecinos los que vieron aparecer tal fantasma, que más tarde llamarían "La dama ensangrentada".

La Cueva Encantada

Esta historia se remonta a los viejos caminos de herradura, a las viejas haciendas, donde los españoles poseían inmensas extensiones de tierra, humillaban a los indios, los golpeaban, hacían y deshacían a su antojo. Poseían grandes riquezas, que se contaban en cabezas de ganado y cofres repletos de monedas en oro y plata. Si nos referimos un poco a la historia, fue entonces cuando el pueblo se levantó en armas y lucharon por un solo sueño llamado Revolución. Los años de dictadura porfirista estaban por concluir; las voces del pueblo reclamaban un nuevo dictador llamado Huerta y las matanzas y despojos no se hicieron esperar.

Los campesinos se levantaron en armas; tumultos de gente cegada, exigían su libertad; y de nada servía ya la palabra lealtad; todos asesinaban no sólo a los hacendados, sino a su familia entera con los más dolorosos y atroces tormentos que la mente humana pudiera crear. Pronto las haciendas se convirtieron en ruinas. Todos los caminos llevaban a un solo destino: la muerte, de la que no escaparon los moradores de la Hacienda del Aljibe.

Don José de Alvarado, el hombre más poderoso de la región se encontraba en sus aposentos, cuando su capataz entró a la hacienda gritando.

–¡Ahí vienen los revolucionarios!

Hacía eco aquella tormentosa voz.

–¡Don José, Don José, han tomado la hacienda de Don Jorge; hay quienes dicen que ya vienen para acá!

–¿Estás seguro? –preguntó con gran asombro.

–¿Y don Jorge?

–Ha muerto –continuaba relatando el capataz–. Son cientos, y le han dado muerte a don Jorge, su familia y a toda la gente de confianza: Señor, tenemos que salir de aquí.

Don José pensó fríamente y al fin decidió. Reúne a toda la gente en el patio de la hacienda, dales armas, incluso hasta los niños. Ordénales que se aposten a los lados del camino.

–¡Sí señor!

El capataz corría de un lado para otro, llevando armas y dando consejos a todos para que supieran cómo disparar. A pesar de eso, todo esfuerzo era para entonces inútil; ya los revolucionarios cabalgaban cerca de la hacienda. Fue entonces cuando comenzaron los disparos acompañados de los fuertes gritos de las mujeres y los niños que corrían sin cesar. Mientras tanto en la hacienda don José, con gran ambición y cegado por la fortuna que tenía, hizo un pacto con el demonio.

–A ti te encargo mi fortuna, para que nunca sea de aquella gente miserable, que hoy llenan mis tierras con dolor y sangre.

Tomó a su gente de confianza y corrió hacia una entrada secreta, la cual conducía a una enorme cueva al filo de aquel monte. El túnel era tan grande que podían pasar carretas y hombres cabalgando; como era tan poderoso, tenía mucha gente a su disposición.

La batalla duró por horas, ya que el parque de ambos parecía no tener fin. Aquel hombre sólo pensaba en esconder de la mejor manera sus riquezas, y no pensó ni un momento en su familia. Pero pronto el remordimiento llegó aunque bastante tardío. Cuando regresó a la hacienda, ésta ya estaba ocupada y la gente se encontraba enjuiciando con mano propia a su esposa y sus dos hijas, a quienes con horror pudo ver como les quitaban la vida. Todos sus esfuerzos fueron en vano; lo único que consiguió fue que lo apresaran a él también y en poco tiempo estaba siendo torturado para que confesara dónde había ocultado su dinero.

Fue entonces cuando en su pensamiento visualizó a 15 hombres de confianza en la cueva a los que él mismo estaba matando; y acordándose de las palabras y juramentos que le hacía al demonio.

–Maldigo este dinero. Y todo aquel que lo quiera poseer, sufrirá la penosa muerte a la que yo ahora mismo me entregaré.

Entonces les gritó con furia a la cara:

–Aquel que quiera mis riquezas, aquel que pase por su pensamiento el quedarse con mis tierras, será muerto por un demonio.

Y fue así como encontró su muerte; la más horrenda de aquellos tiempos.

Pasaron los años y la revolución término. Pero esta historia continuó en la memoria de los ancianos que la delegaron a sus hijos, y éstos a sus hijos; pasando de generación en generación. La existencia de la cueva se volvió una leyenda; buscada por todos aquellos que quisieran poseer las cuantiosas riquezas de aquel hacendado.

Luis, un pequeño joven de apenas 17 años escuchó mil veces esta historia que le relataba su abuelo, aunque no pasaba de ser una simple leyenda. Hasta que cierto día, pastando sus ovejas encontró algo que cambiaría su vida para siempre.

–¡Ven acá! –gritaba desesperado a la oveja extraviada.

"¿Dónde se habrá metido?", se preguntaba a sí mismo. Ya estaba oscureciendo y su abuelo le había prohibido mirar hacia el Aljibe, al ocultarse el sol; pero al mismo tiempo sabía que si regresaba sin la oveja, su patrón lo regañaría a tal grado de descontarle de su sueldo el valor del animal.

Aquel muchacho, que era curioso como todos los de su edad, comenzó a subir por una ladera del cerro encontrando alimañas, pero nunca visualizando a aquella oveja. Trepando por una loma encontró una gran piedra; no dudó subirse en ella, ya que quizá arriba podría mirar mejor dónde se había metido la oveja; después de todo, nunca había visto piedra similar. Estando arriba, pudo mirar en ella grabados unos pies con una mano y una flecha. Fue entonces cuando por su mente atravesaron las palabras de su abuelo: "La cueva encantada se encuentra en la dirección que marca una piedra". Y sin temor alguno caminó hacia allá. Pero la oscuridad de la noche se hacía más próxima, por lo que tuvo que volver al pueblo sin la oveja, pero sí con la esperanza de que al día siguiente encontraría la famosa cueva. Al llegar al pueblo lo sorprendió una terrible bruma y ante ella unos hombres con lámparas y su abuelo con un gran garrote.

–Muchacho travieso, te he dicho mil veces que no te quedes en ese monte tan tarde; ese monte está encantado –decía con mal genio–. ¿No puedes entenderlo?

–Sí, abuelo –dijo el muchacho asustado–, pero he visto algo que los sorprenderá.

–¡Estás loco! Nada de sorpresas, una paliza es lo que mereces.

–No abuelo, digo la verdad –continuaba el muchacho–. He viso la piedra que apunta hacia la cueva.

–¿Qué dices? –preguntaron con asombro los hombres que acompañaban al abuelo.

El muchacho sintió que ganó terreno y decidió continuar.

–La he visto; sé dónde está.

–¿Y crees que nos puedas llevar? –preguntó un valiente hombre.

–No lo creo; estoy seguro. Marqué bien el camino y sé cómo volver allá.

Todos los presentes acordaron volver a aquel lugar en cuanto la luz del día se los permitiera.

A la mañana siguiente, todos se reunieron en la casa del viejo; pero Luis parecía no acordarse, pues aquella noche durmió más de lo habitual. Razón por la cual tuvo que intervenir el viejo para levantarlo y ponerlo de pie como guía. Todos murmuraban y fantaseaban con respecto a lo que harían con el dinero. Unos comentaron.

–Si es verdad muchacho que sabes el lugar para entrar a la cueva, en efecto hoy mismo podrás pagar aquella oveja –soltó en risas.

Minutos después todos miraron con asombro que las palabras del muchacho eran verdad. Ante sus ojos se encontraba la piedra que apuntaba justo a los barrancos más hondos. Sin pensarlo se dirigieron hasta el lugar a golpe de machete y alaridos de asombro; en sus mentes se visualizaba aquella inmensa fortuna que los abuelos les habían contado de pequeños.

–¡Seremos ricos! –se escuchaba con entusiasmo.

Al cabo de mucho esfuerzo, al fin pudieron llegar al lugar. La cueva por fuera era tan impactante que más bien les daba una invitación para alejarse y no volver nunca más, pero su ambición era más grande y pronto los que se creían más valientes entraron sin volver una mirada hacia atrás. Luis sentía cómo le temblaban las piernas a medida que avanzaba a unos cuantos metros atrás del abuelo; en aquel lugar se escuchaba cómo las gotas de agua caían a lo lejos. Al pie de la gran caverna se sentía una fuerte brisa y un olor nauseabundo. Muchos hombres del grupo comentaban entre sí.

–Es mejor regresar al pueblo.

–Sí, yo no me aventuraré –respondían los otros.

Justo cuando dieron la media vuelta, se escuchó cómo un animal cuadrúpedo se acercaba hacia ellos. Luis pensó de inmediato que se trataba de la oveja perdida. Mas su sorpresa fue tal cuando miró a un gran animal, que era digno de un creador; se trataba de un chivo de un tamaño inimaginable. Todos trataron de atraparlo, pero su esfuerzo fue inútil; el gran animal entró a la caverna y es así cuando Toño se aventura diciendo:

–¡Ese animal es mío! –y corrió hasta acercarse a él.

Cuentan los que allí estuvieron presentes que la cueva se cerró y el chivo comenzó a hablarles.

–Si están aquí es porque quieren las riquezas. Les diré que se encuentran en las entrañas de la Tierra. ¿Quién de ustedes será el primero?

Los hombres estaban paralizados; algunos se desvanecieron. Toño tenía en mente que quizá todos morirían en aquel lugar y todo por la maldita ambición, por lo que tomó algo de valor y como pudo respondió.

–Yo soy el primero. ¿Pero el primero en qué?

En ese momento el gran animal miró hacia atrás dejándoles ver las riquezas y diciendo:

–Si ustedes son capaces de enfrentarme; si me aguantan tres topones, todo esto que ven será suyo.

–Pero, ¿qué pasa si fallamos? –preguntó Toño perplejo ante tal suceso.

–Morirán y se quedarán en este lugar.

Justo en ese momento se comenzaron a escuchar los gritos de dolor, angustia y desesperación que provenían de las entrañas de aquella cueva.

Luis pudo notar cómo el ambiente se tornaba más pesado y oscuro; por detrás del animal miró a los fantasmas de 15 hombres que todavía aguardaban en la cueva pidiendo venganza. Su amo los había entregado a aquel ser infernal que ahora clamaba sediento por las almas de aquellos que todavía continuaban con vida. La rabia del animal crecía al mirar que nadie se atrevía a enfrentarse a él; ni siquiera cegados por su ambición.

–¿No quieren poseer el oro? –preguntó aquel ser que parecía crecer más.

Situación que no les pareció extraño, ya que las creencias populares indicaban que todo ser maligno se alimentaba del miedo de los humanos.

Toño pudo reponerse para así poder contestar por el resto de sus compañeros.

–No queremos tu oro –pausó para tragar saliva–. Queremos que nos dejes ir, nadie va a enfrentarse a ti, ni por todo el dinero del mundo lo haríamos.

–¿Tan seguro estás? –preguntó con malicia el animal–. Parece que uno de ustedes no está del todo convencido, ¿no es así?

–Así es –dijo acercándose Fermín–. Yo si quiero el dinero. Entregaría mi alma con tal de poseerlo.

Y fue así cuando todos los hombres con horror vieron caer a su compañero que no logró aguantar ni siquiera el segundo topón. Con tan sólo el primero cayó despedazado al momento. Con lágrimas en los ojos vieron atónitos cómo la vida se le escapaba, como si fuese cortada de un tajo y quedando el pobre infeliz hundido en su afán de fortuna en completa miseria.

El maligno ser se acercó hasta la víctima y echó a reír amenazante ante los que estaban de pie. Aquellos hombres no tuvieron más remedio que salir corriendo de aquel lugar en cuanto sus piernas les pudieron responder, no sin antes recordar alguna oración que les permitía creer que el alma de su amigo estaría con bien. Ninguno pudo mirar hacia atrás, a excepción de Luis, quien una vez que se sintió a salvo en el pueblo, confesó haber vuelto su mirada, lo suficiente como para poder ver que aquel animal se había convertido en un hombre vestido de negro que se aproximaba al cuerpo inerte de su amigo.

Desde aquel día prometieron que advertirían a la comunidad entera los peligros que en aquella cueva existían; sin embargo, nunca faltó algún desdichado que quisiera enfrentarse a tan cruel animal con el único deseo de poder tomar aunque fuera una de aquellas preciadas monedas.

El Ahorcado

Se dice por ahí que existen dos tipos de fantasmas: los que aún no saben que han muerto y permanecen en el mundo creyendo estar con vida, y los que se han dado cuenta de su muerte pero continúan en nuestro plano material en busca de alguien a quien puedan llevar a la oscuridad a donde ellos pertenecen. Y es así que les dan el nombre de espíritus chocarreros, que según el ámbito popular, son seres que perturban la paz de las personas que tienen la desgracia de toparse con uno de ellos.

Aquella noche en una vieja cantina estaban dos compadres: Lázaro y Santiago. Habían bebido demasiado; pasados ya de copas y pensando nada más que en el vino que ingerían, se levantaron para abandonar aquel lugar. Caminaban tambaleándose por las calles, entonando quizá una vieja canción, ahogados en un aliento alcohólico. A lo lejos visualizaron algo que flotaba en el camino; creían ver una caja, o alguna cosa similar. Pronto Santiago se despidió, ya que para su suerte estaban parados justo a la entrada de su casa; pero Lázaro debía caminar todavía por dos calles más y un pequeño trecho de bosque para llegar a una vieja cabaña que compartía con su anciano padre.

Ya en el bosque se escuchaban los aullidos de sus viejos perros, cuando de repente tropezó con una rama tirada.

–Quieta ramita –reprendía el borracho a aquella rama como si fuera su amiga–. ¿No ves que estoy pasando? ¿Para qué me tropiezas?

Intentó incorporarse, pero con su pie izquierdo volvió a tropezar.

–¿Qué te dije? –continuaba con la charla como si esperara que aquel pedazo de árbol pudiera responderle–. Ya me voy, pedazo de basura; no me detengas, pues no tengo muchas ganas de platicar contigo.

Al momento continuó con su camino.

A unos pasos de llegar a su casa se detuvo alegremente al pie de un árbol para hacer sus necesidades. Fue entonces cuando miro nuevamente aquella caja flotante.

–¿Qué paso?, ¿ya vienes de nuevo? –dijo en tono de burla.

Mas su sorpresa se acrecentó cuando pudo notar que se trataba de una caja de muerto. No podía creer lo que sus ojos miraban esa noche. Intento ponerse a salvo de sus alucinaciones, pero su tormento creció al mirar a un hombre ahorcado arriba del árbol.

Lázaro intento escapar, pero cuando dobló el camino hacia la derecha, tropezó de nuevo con una rama y cayó precipitadamente. Allí pudo ver con horror que había otro hombre decapitado, el cual aún se movía entre las hojas. Tomó como pudo el paso y corrió sin detenerse hasta llegar a su casa. Llamó con gran desesperación. Cuando el viejo abrió la puerta, el muchacho cayó desfallecido. Es así que no supo más de aquella terrible experiencia. Sólo recuerda que al siguiente día, al toparse a la hora de siempre con Santiago, no quiso ir más a la cantina.

–Vamos Lázaro –decía con molestia Santiago–. ¿Qué acaso el viejo te pega? o ¿ya eres una gallina?

–No Santiago, es sólo que quiero ir temprano a casa –respondió Lázaro con prudencia.

–Sólo una –insistía el compadre–. Una y no te molestaré más.

Tanta fue la insistencia de Santiago y la debilidad de Lázaro, que terminó aquella noche ahogado en llanto, diciendo que él no quería. Y reprochándole a su amigo la desgracia que lo acompañaría al andar por esos caminos.

–Vamos compadre, échate otra –dijo Santiago.

Así pasaron las horas, y el llanto de Lázaro crecía cada vez más conforme avanzaba la noche. Todos los presentes se sentaron para escuchar lo que el joven decía acerca de un ahorcado y un decapitado. Algunos soltaron en risas, pero otros más se mantuvieron callados al sentirse libres de estar locos, sabiendo que era el momento apropiado para relatar su historia.

Hicieron una gran mesa, juntando todas las pequeñas. Quien tomó la palabra fue Mauricio, que vivía justo en la loma donde Lázaro dijo haber visto por primera vez la caja. Aquel día recordó, llovía más de lo acostumbrado, por lo que no les pareció extraño que cortaran la luz ante tremendos relámpagos. Se disponía ir a la cama cuando escuchó que alguien llamaba a la puerta.

"¿Quién será?", se preguntaba para sí. No había alguien que le cruzara por la mente; después de todo, aquella noche no esperaba a nadie. Los llamados a la puerta se volvieron más insistentes.

–¿Quién? –preguntó cauteloso antes de acercarse hasta la puerta, pero no escuchó ninguna respuesta.

–Escuche, está lloviendo y no pienso abrir hasta que me diga quién es.

Ante las palabras tajantes, aún no había alguien que respondiera. Los llamados cesaron por un momento, así que Mauricio no dudó ni dos veces en regresar hasta su habitación, la cual tenía una ventana que daba hacia la calle. Una vez allí, volvió a escuchar los toquidos que se repetían, pero esta vez en su ventana.

Preguntó: "¿quién es?", pero ahora con gran enojo. Pudo notar cómo una silueta se dibujaba por las cortinas, pero lejos de abrirlas dijo una vez más.

–Escuche, sólo abriré si me dice quién es.

Esas palabras, lejos de calmar los llamados, hicieron que éstos aumentaran tanto en magnitud como en cantidad. Finalmente acabaron con la paciencia del muchacho.

–Ya voy, ya voy –dijo levantándose de su cama–. Vaya a la puerta.

Al tomar sus zapatos pudo mirar cómo aquella sombra se deslizaba hasta la puerta.

"¡Vaya!, por lo menos eso sí entiende", pensó.

Mauricio hizo una pequeña pausa justo en la cocina para tomar una vela y encenderla. Caminó sin preocupación hacia la puerta con su vieja escopeta en mano y maldiciendo a aquel visitante.

"Qué imprudencia venir a esta hora y sin luz", continuaba pensando.

Al llegar a la puerta, miró cómo permanecía en aquel lugar la sombra de aquel impertinente. Abrió como pudo para no perder de vista su vela y cuanto menos su escopeta. Al abrir, vio con espanto que aquel nocturno visitante se trataba de un hombre que llevaba su cabeza en las manos. Mauricio empujó a aquel ser y corrió camino abajo hasta encontrar ayuda; pero como era de esperarse, no encontró a nadie que le creyera. Su desagradable experiencia con el paso del tiempo se fue olvidando y las burlas de aquellos a quienes les confió lo que le había ocurrido aquella terrible noche.

Poco después y ante el notable silencio de los presentes, tomó la palabra Jacinto.

–Pues yo sí te creo amigo –dijo para iniciar su relato.

Recordaba bien que estaba acostado sobre unas piedras cuando un escalofrío recorrió por su cuerpo desde los pies a la cabeza erizando sus cabellos. Vio acercarse una extraña figura que le llamaba por su nombre.

–Jacinto, Jacinto, acércate a este gran árbol.

Jacinto creyó que todo aquello no era más que el producto de una noche incesante de copas; después de todo, había bebido hasta muy tarde en la taberna. Pero la voz no dejaba de escucharse hasta que se hizo más fuerte.

–Jacinto, Jacinto, acércate a este gran árbol –decía la voz–. Te mostrare cuál es la avaricia de los hombres; por qué estoy aquí.

–¿Qué es lo que quieres? –preguntó Jacinto a aquella voz.

–Que tomes mi lugar, desafortunado muchacho.

Jacinto creía para entonces que se trataba de una broma y trató de ver en dónde estaba su amigo del alma. Seguramente sería José con algunos más de la cantina. Pero aquella voz no dejaba de llamarle por su nombre y pedirle que tomara su lugar. Fue entonces cuando el muchacho pudo ver de dónde provenía la voz.

–Ya sé dónde están muchachos; déjense ya de tonterías –respondió Jacinto con una sonrisa.

Sin pensarlo más, tomó camino hacia aquel árbol. Sin duda era el más grande de todos.

"Pero inventar aquella historia", pensó para sí.

Al llegar al lugar no vio a nadie, ni siquiera el rastro que indicara para dónde habían corrido sus amigos. Volvió la mirada para ambos lados, pero nunca se le ocurrió mirar hacia arriba.

–¡Aquí!

Cuenta Jacinto que fueron las últimas palabras de aquel maldito ser, pues cuando miró hacia la copa del árbol, halló a un hombre colgado con sus pies todavía moviéndose. Aquel ser tenía en la mano una soga, la cuál señalaba que era para él. Que sólo así se liberaría de aquel maldito lugar. Jacinto término con lágrimas en los ojos, jurando que nunca más ha caminado nuevamente por aquel lugar por temor a volver a ser presa de aquel ser infernal.

–Es en serio amigos –decía el necio borracho–. No vayan para allá. Ese maldito sólo está esperando el momento oportuno para cambiar su lugar y condenarnos a vagar.

José se mantenía escuchando con atención a su amigo; no podía creer que a él también le hubiera ocurrido algo similar. Hacía días que no quería contárselo a nadie por miedo a las risas y habladurías, pero aquel momento era el propicio para hacerlo; después de todo, los presentes estaban bastante tomados y quizá para mañana ya no recordarían nada. Y de esta manera inició su narración...

En la cosecha de aquel año, José tuvo que quedarse a dormir en el campo debido a los pequeños saqueos que se venían realizando en los cultivos vecinos. Ya llevaba con ésa tres noches, donde todo le había parecido normal y tranquilo. Por lo que no dudó en llevar unas cuantas cervezas para la noche siguiente. Se encontraba en un pequeño tejabán maltrecho; allí tenía su camioneta de color azul y a su viejo perro que apenas podía moverse. Metió todo lo necesario y justo antes de dormir bebió por lo menos seis cervezas. Pasadas unas horas, el sueño terminó por vencerle. Al menor ruido de su perro, recordaba el muchacho que se incorporaba, para poder ver y enfrentar a los amigos de lo ajeno. Al despertarse imaginaba cómo iba a detenerlos, tal vez cruzaba por su mente la paliza que le darían, pero qué más daba si podía evitar aunque fuera con eso el robo.

Recuerda muy bien que a eso de la medianoche, justo cuando su reloj marcaba el cambio de hora; escuchó claramente que alguien tocaba la ventanilla. Situación que no le parecía extraña, pues su madre se quedaba muy preocupada y tal vez había enviado a uno de sus hermanos a buscarlo. Se incorporó lentamente, ocultando con sus pies los envases vacíos de las cervezas ingeridas; la ventanilla estaba opaca, ya que hacía unos momentos que había dejado de llover, por lo que se veía obligado a abrir la ventana. Cuando lo hizo, vio ante sus ojos aquel ser tan espeluznante que sus compañeros de copas ya habían descrito con exactitud. Y la respuesta no fue diferente, pues dice haber echado a andar su camioneta camino abajo.

No confesó haber vuelto a su huerta, por lo menos no en las noches. Hasta ese momento todos habían coincidido en una cosa: que cuando vieron a aquel ser, estaban completamente borrachos. Ante eso, sólo había que preguntar una cosa: "¿Había visto alguien en su sano juicio a ese ser maléfico?"

El silencio no se hizo esperar. La respuesta al momento salió a relucir; todo aquello no había sido más que el producto de su imaginación, acompañado y envalentonado con los efectos del alcohol. De pronto y ante esa conclusión, el semblante de todos los presentes cambió, para dar rienda a las risas y peticiones de copas. Pero aquella alegría les duró muy poco, pues al final de la cantina, justo en el último banco, se encontraba Florentino, que en seguida hizo uso de la palabra.

–Cuando lo vi, estoy seguro que no estaba tomado –dijo con gran aseveración.

Todos volvieron sus miradas. Cierto era, que el día en que Florentino dijo haber visto a aquel espectro, no había llegado en toda la noche a la cantina. Y a la mayoría les constaba que el muchacho no había bebido más de la cuenta desde hacía un mes, y mucho menos se quedaba a deshoras en la calle.

Ese día 27 de mayo, justo a las once y media de la noche, Florentino caminaba tranquilamente rumbo a su casa. El motivo por el que estaba todavía en pie por la calle era que su novia se encontraba enferma y salió un poco tarde de su hogar. Doblaba por la derecha cuando sintió un escalofrío que le heló todo el cuerpo. Unos pasos más adelante escuchaba claramente que alguien le seguía. Volvió su mirada, pero las sombras de un par de gatos fue lo único que miró, por lo que continuó su camino. Cierta voz se escuchó a lo lejos.

–Florentino, Florentino ven a aquel árbol.

Florentino miró nuevamente para asegurarse de que alguien andaba por ahí. Pero el silencio permanecía alimentando las sombras. En ese momento se volvió a escuchar aquella voz.

–Florentino, Florentino, te estaba esperando.

El joven no recordaba tener problemas con nadie que lo pudiera estar esperando para rendir cuentas. Tales eran las palabras de aquel chico que ante el asombro de los presentes permanecía firme en su relato. Recordando que cuando volvió su mirada al frente, vio cómo venía flotando una caja de muerto por la calle, como si se tratara de un funeral, sólo que esta vez sin nadie que lo acompañara a su última morada. Creyó estar soñando, pero el fuerte viento que soplaba aquella noche le hizo recordar que aún no llegaba a casa. Tal pareciera que los demonios andaban sueltos aquella terrible noche, que era acompañada de

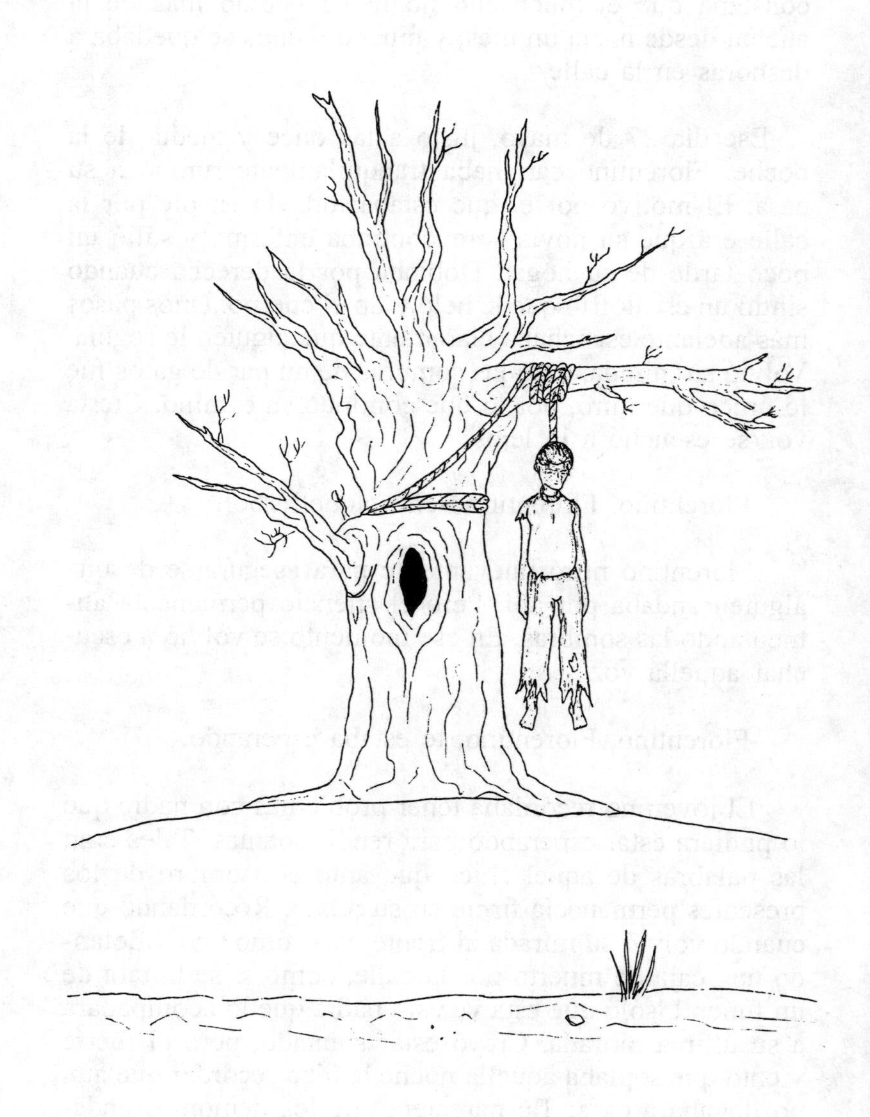

una penumbra y los aullidos de perros vagabundos se dejaban escuchar a lo lejos.

Florentino pensó en llegar lo más pronto posible a su casa, evitando a toda costa pasar por aquella calle donde se veía la caja. De esta manera, dobló hacia la izquierda, en una pequeña callejuela. Pero cuando se creyó a salvo, miró con horror que un hombre con las ropas desgarradas estaba justo parado frente a él. El muchacho recordó haber tenido valor para enfrentarse a ese ser diciéndole.

–¿Quién eres? y, ¿qué es lo que quieres?

Aquella aparición sólo señalaba a aquel tenebroso árbol, para después continuar diciendo:

–Sólo quiero descansar; sólo vengo por tu alma que me dará la libertad que tanto deseo.

Florentino terminó su relato contando cómo sus pies en cuestión de segundos lo pusieron adentro de su casa. Aquella noche, todos los reunidos en la cantina, acordaron que a la primera luz del siguiente día, debían derribar sin piedad aquel árbol maldito y bendecir el lugar. Otros pensaron en poner una capilla, y otros tantos con burla dijeron que eran cosas de borrachos.

Verdad o no, lo cierto es que al día siguiente, toda una congregación miró con asombro que en el árbol se encontraba colgado un pobre desdichado. Razón por la cual no sólo derribaron el árbol, sino que también quemaron sus restos y bendijeron el lugar.

Cuentan los moradores que desde aquel instante nadie ha sabido más de aquella aparición. Otros cuentan que lo han visto en pueblos vecinos, pero nunca más en aquel viejo pueblo.

El Choko

Como ya hemos mencionado antes, en cada lugar se cuentan historias que alimentan la fantasía o las creencias de los habitantes. Es en Morelos donde se desata la creencia de un ser que mora por los alrededores; un ser que aseguran, nunca descansa y siempre está en busca de acechar a alguien.

La presente leyenda fue contada por distintas personas y hemos tratado de adaptarla para su comprensión.

José se había mudado a un pueblo llamado Anenecuilco, Morelos. Las calles se hacían más desoladas por las noches. No estaba de acuerdo con sus padres. Mira que mudarse de la capital para irse a vivir a un pueblo. José había hecho amistad con algunos jóvenes, quienes habían vivido siempre en aquel lugar y fueron quienes le contaron la historia del Choko, leyenda que nunca fue del agrado de José hasta cierta noche.

Antes de meterse a la cama debía cerciorarse que hubiera agua a un lado, de lo contrario, se vería obligado a salir por ella a la vieja llave del pozo. Ya antes había salido, pero nunca después de haber escuchado los relatos de las apariciones del Choko; sabía que después de la media noche, ni por error debía estar en los corrales. José recuerda que antes de acostarse esa noche comió un par de galletas y sin revisar el jarrón que descansaba a su lado, se echó a la cama donde finalmente quedó profundamente dormido. Unas horas después, cuando la sed lo invadió, tomó la jarra y se dio cuenta que había olvidado llenarla. Temeroso miró por la ventana hacia donde estaba la llave. Notó que el viento golpeaba fuertemente.

–"¿Será el Choko? –pensó con desagrado. Justo en ese momento molesto rectificó–. ¡Pamplinas, no existe algo parecido, son sólo supersticiones de los pueblerinos!".

Con estos pensamientos, tomó sus zapatos y el jarrón, bajando lentamente hacia la puerta.

–"Despertaré a mi padre –pensó nuevamente antes de salir–. No, dirá que soy un miedoso y se burlará."

Con estas palabras metidas en la mente, José abrió con valor la puerta. Si antes ya había salido, por qué ahora no. Caminó de prisa hacia la llave del pozo y fue entonces cuando un aire terrible azotó la puerta. El joven asustado volteó y sin ver nada continuó llenando su jarrón. Preso del pánico, cualquier ruido, cualquier rama que se mecía por el viento lo hacían estremecer.

Una vez que pudo llenar su jarrón, sintió deseos de ir al baño y como éste estaba ya muy cerca de ahí (en la mayoría de los pueblos se acostumbra tener letrinas alejadas de los cuartos), entró y antes de salir escuchó cómo su jarrón se había caído.

–"Oh no, lo tendré que volver a llenar –pensó furioso."

Salió de prisa de la letrina y fue entonces cuando miró a un niño como de seis años a un lado de su jarrón.

–"Condenado mocoso –pensó y se dirigió hacia él."

–¿No has visto que tiraste mi jarrón? –dijo en tono molesto.

La oscuridad de la noche no le permitía mirar bien al intruso, quien se reía abiertamente.

–¿De qué te ríes? Lo que acabas de hacer no es cosa de gracia –continuaba molesto.

El niño corrió hacia los corrales y fue entonces cuando José se dio cuenta que vestía pantalones cortos, camisa de manta y guaraches. No se le hizo extraño porque los habitantes de ese pueblo suelen vestirse de esa manera. La furia no le permitió recordar que ése era precisamente el atuendo del Choko que sus amigos le habían contado, ya que como decían los relatos traía consigo un morral del lado izquierdo.

José persiguió al travieso niño hasta los corrales, quien continuaba riéndose y entonces echó un salto como si fuera un animal, lo que le permitió llegar hasta arriba de los corrales. José miró con terror al pequeño, quien continuaba riéndose, pero esta vez con voz madura. José ya no quiso mirarlo y corrió hacia la casa, olvidando su jarrón de agua.

Dicen las personas que lo conocieron que nunca más quiso salir de su casa, hasta el día en que sus padres tuvieron que mudarse para no volver jamás a ese pueblo.

Las leyendas del Choko son tan comunes para los moradores de Morelos, que nunca se confían en un pequeño niño; tal es el caso de Francisco, un viejo pastor que todavía en estos días lleva su rebaño al monte. Quienes lo conocen saben que no deben acercarse a él, si no, los confundirá con el mismo Choko, a quien se ha encontrado en varias ocasiones. Fue su esposa la que narró la vez primera en que sus ojos cansados vieron al demonio.

Don Francisco estaba, como de costumbre, cuidando su rebaño. Pero cierto día, al caer la noche más temprano, recuerda que llegó a casa furioso porque una de sus ovejas se le había extraviado, así que regresó al monte en busca de ella. El largo camino le hizo olvidar el tiempo, y muy cerca de la media noche, escuchó que lloraba desesperada la oveja, por lo que no dudó en ir a salvarla. Recuerda que el sonido aumentaba cada vez que se acercaba a las barrancas. Después de un largo rato vio que un niño vestido de indito llevaba a su oveja.

–"Pero, ¿cómo puede cargarla? –se preguntó–. No importa, esa oveja es mía."

Y comenzó a perseguir al niño, quien corría con gran facilidad. Seguro estaba el señor de que esa oveja era de él; si no, ¿por qué corría el pequeño?

La señora narra que su esposo no ve bien por la noche, pero recordó que estaban cerca de las barrancas y se detuvo. Fue entonces cuando su sorpresa aumentó al mirarse al pie de la barranca más onda.

–"Pero, ¿cómo pudo pasar ese niño? –se preguntaba al mirarlo del otro lado sonriendo."

El señor, que era más terco que una mula gritó molesto al niño:

–¡Devuélveme mi oveja!

Y justo en ese momento se dio cuenta que el niño no llevaba tal animal; por el contrario, sólo llevaba colgando del lado izquierdo un morral. El señor recordó que ése era el atuendo del Choko; el mismo demonio en niño.

Muchos cuentan que al mirarlo, salen de su morral los aterradores gritos de las almas de las personas que este ser se ha llevado, engañándolos a cruzar por barrancas y a otros tantos por tentarles la codicia de mostrarles el oro que carga en su viejo morral.

ÍNDICE

OTROS TÍTULOS DE ESTA COLECCIÓN

- *Cuentos mexicanos de terror*
- *Mejores fábulas para niños*
- *Selección de cuentos para niños*
- *Nuestros hijos (guía para formarlos sanos y felices)*
- *Nombres para el bebé*
- *Adivinanzas, rondas y canciones infantiles*
- *Chistes, trucos y juegos infantiles*
- *Antología de cuentos infantiles*
- *Los mejores cuentos infantiles*
- *Fechas que marcaron la historia de México*

Esta obra se terminò de imprimir en Octubre de 2006, en Editores, Impresores Fernàndez S.A. de C.V.
Retorno 7 de sur 20 Nº 23 Col. Agrìcola Oriental Mèxico D.F. Se tiraron 1,000 ejemplares màs
sobrantes para reposiciòn, correo electrònico: eif2000@prodigy.net.mx